당신의 교육철학을
한 권의 책에 담아 드립니다

비사이드 북스

X

교육실천이음연구소

초등교사ING

끄릉샘

차례

글쓴이

고민한다,
고로 나는 존재한다
|
끄릉샘

인생을 극기 훈련하듯 쉽게 할 수 있는 일도 어렵게 고민하며 하는 사람, 잎새에 이는 바람에도 괴로워하는 극세사 신경을 가진 사람, 늘 팔랑대는 귀를 가지고 선택을 하지 못해 괴로워 하는 사람. 하지만 항상 흔들리면서도 동료 선생님들을 나침반 삼아 함께 나아가려고 노력하고 있습니다.

저자인 나와, 독자인 나는 시간을 두고 조금씩 달라집니다. 온전한 나를 소개하는 문장을 찾을 때까지 나에 대한 소개는 수시로 다시 쓰여져야 합니다. 그 부지런한 이해로 당신은 더욱 당신다워질 겁니다.

글쓴이

나를 이루어 온 경험은
무엇인가요?

성장과정과 학생 시절의 경험, 특히
교직을 택한 경험을 되돌아봅니다.
자신이 의미를 두는 경험에서 얻은
성찰과 역량을 발견합니다.
그리고 그것이 어떻게 어우러져
지금의 나를 형성해왔는지
인식합니다.

좋은 기억은 나의 힘

대화한 날_ 2023. 10. 11.

완성한 날_ 2023. 11. 28.

좋은 기억은 나의 힘

아빠의 무조건적 지지와 엄마의 엄격한 훈육으로부터 왔다. 어떤 일을 해도 잘했다고 칭찬해 주시는 아빠로부터 어떤 상황에서도 긍정적인 부분을 찾아낼 수 있는 어른으로 자랐고, 잘잘못을 정확하게 지적하고 야단쳐 주시는 엄마로부터 세상을 바르게 살아갈 힘을 얻었다. 그 덕분에 나는 약한 몸이지만 많은 욕심과 꿈을 갖게 되었고, 내 건강이나 주변 여건들로 인해 작은 꿈 하나라도 포기하는 법 없이 늘 끙끙대며 치열하게 하루하루를 살아가는 삶의 태도를 갖게 되었다.

한편으론 생각한다. 그냥 몇 가지는 포기하는 게 내 삶을 좀 더 여유 있게 만들고 삶을 지혜롭게 사는 게 아닐까? 그리고 이렇게 나 스스로 열심히 살아봐야 다른 사람들보다 더 크게 이룬 것도 없고 병들고 나이 먹은 몸만 남지는 않았나?

하지만 이제는 습관처럼 열심히 사는 나 자신을 보며 이런 원동력을 주신 아빠와 엄마, 그리고 하나님께 감사한다. 오늘도 열심히 살 힘과 세상을 긍정적으로 바라볼 수 있는 시선, 남을 배려하는 마음을 주셔서, 그리고 무사히 하루를 마무리할 수 있어서 감사한다.

또한 나는 어린 시절 만난 선생님들에 대한 좋은 기억으로부터 왔다. 어린 시절 만난 선생님들께서는 다 각기 다른 성격을 가지고 계셨고 가르침의 방향 역시 다 달

랐지만, 공통적으로 내가 좋은 선생님을 꿈꿀 수 있도록 좋은 말씀과 칭찬을 해 주셨다. 숙제를 많이 내주시던 선생님께는 성실함을 배울 수 있었고, 일부러 하루에 한 가지 이상 틀린 점을 말씀해 주시고 찾아내는 훈련을 시키셨던 선생님께는 비판적 사고를 배울 수 있었다. 국어책 지문을 통째로 외우는 특별한 경험을 제공해 주셨던 선생님께는 의도치 않게 사진 찍듯 책 한 바닥씩을 외우는 특별한 암기 능력을 배우게 되었다. 물이 너무 맑으면 물고기가 살 수 없다는 말씀을 넌지시 건네주신 선생님께는 친구들과 어울려 같이 살아가는 법을 배웠다. 이 모든 능력들은 지금도 내가 살아가는 데 많은 힘을 주지만 이 능력들보다 나에게 더 큰 영향을 미친 것이 있다. 그건 바로 좋은 기억, 그 자체이다.

　　가끔 우리 반 학부모님들께 오셔서 본인들의 학창 시절을 말씀하실 때가 있다. 근데 그 기억들이 나와는 달리, 선생님께 혼난 기억, 매 맞았던 기억, 자신이 잘못한 일이 아닌데 억울하게 야단 맞은 기억, 선생님께서 한 아이만 예뻐하셔서 기분 나빴던 기억 등 부정적인 기억들이 많아 깜짝

놀랐던 경험이 있다. '어, 나는 선생님께 칭찬 받은 기억만 있는데…', '어, 나는 선생님, 친구들과 재미있게 학교생활한 기억만 나는데…' 나는 이런 기분 좋은 기억들로 이루어진 학창 시절을 떠올리는 데 반해 학부모님들께서는 불쾌하고 힘든 기억들로 이루어진 학창 시절을 떠올리고 계셨다.

학부모님들과는 달리, 나는 이런 기분 좋은 기억들로 이루어진 학창 시절과 선생님을 떠올리기 때문에 선생님이 된 것은 아닐까? 구체적인 날짜와 경험 등이 떠오르진 않더라도 이런 기분 좋은 기억들이 내 인생의 중요한 사항들을 결정지을 때마다 내가 길을 잃지 않도록 나침반 역할을 하며 내 인생의 중심을 잡아주고 있는 건 아닐까?

나는 우리 반 친구들에게 어떤 선생님으로 기억될까? 어떤 기억이나 경험을 제공하는 선생님일까? 나는 우리 반 친구들에게 어떤 배움을 일으키는 선생님일까?

부디 내가 가르치는 것들 중 잘못된 것이나 안 좋은 기억들은 우리 반 친구들 머릿 속에서 몽땅 사라지고 내가 나의 선생님들을 떠올릴 때 그러했듯 우리 반 친구들에게 좋은 기억만, 재미있는 기억들만 남길 기도해본다. 그래서 우리 반 친구들도 학창 시절이나 선생님에 대한 좋은 기억만 간직하여 선생님이라는 직업을 선택하는 친구들도 나오길, 꼭 선생님이라는 직업을 선택하진 않더라도 자신의 학창 시절이 즐겁고 유쾌한 경험과 감정으로 기억되어 본인 인생의 중요한 사항들을 결정지을 때마다 그 좋은 기억들이 나침반이 되어 길을 잃지 않길 바라본다.

앞으로는 매일매일 공부도 열심히, 재미있게 가르치겠지만 그보다 우리 반 친구들에게 좋은 기억을 남겨주기 위해 노력해야겠다.

"오늘 배운 내용이 뭐니?"가 아니라

"오늘도 즐거웠니?"

"제일 중요한 내용은 뭐지요?"가 아닌

"재미있게 놀았니?"

"요점 사항 잘 기억하세요!"가 아닌

"잘 놀았니?"

위와 같은 질문을 웃는 얼굴로 아이들에게 건네며, 모범적인 친구들을 칭찬하고 상표 주는 것이 아니라 오늘의 즐거움을 다 모은 또는 다 모으려 노력한 우리 반 친구들을 모두 크게 칭찬해 줘야지 다짐해 본다.

오늘을 뒤돌아보면, 다짐과 달리 수업 태도가 좋지 않다고, 발표 목소리가 작다고, 복도에서 뛰어다닌다고, 예의 없이 말한다고 무서운 표정으로 아이들을 야단친 기억들이 먼저 떠오른다. 아, 친구들이 나에게 야단 맞은 기억으로 하루를 기분 나쁘게 마무리하면 안되는데... 우리 반 친구들 머릿속에 찾아가 나쁜 기억만 골라 쏙쏙 지워주고 싶다. 정말 정말 내일은 우리 반 친구들에게 칭찬만, 좋은 기억만 잔뜩잔뜩 안겨줘야지 다시 한번 다짐해 본다. 그리고 속으로 생각한다.

좋은 기억은 나의 힘

얘들아, 아까 선생님이 진지한 얼굴로 야단치고 속상하다고 했지만, 사실 속마음은 말야... 선생님은 너희들 덕분에 오늘도 즐겁고 행복했어~ 너희들도 나쁜 기억 몽땅 잊고 행복한 기억만 간직하렴. 우리 내일 또 즐겁게 만나자~~

"정말 정말 내일은

우리 반 친구들에게 칭찬만,

좋은 기억만 잔뜩잔뜩 안겨줘야지."

좋은 기억은 나의 힘

B

당신은 이 글의 저자인 동시에 독자입니다. 저자인 나와 독자인 나는 만날 때마다 새로운 이야기를 만들어 갑니다. 지금 이 글을 읽는 당신의 생각을 여기에 더해보세요. 그것은 내 손을 떠난 글에 새로운 생명과 생기를 불어넣는 일입니다.

좋은 기억은 나의 힘

B

나는 교사로서 어떤
이야기를 만들어 왔나요?

과거의 생애로 형성된 가치관이
교직에 들어선 후 수업, 학생,
학부모, 학급, 동료교사 혹은
교사공동체에 어떤 영향을 주어
왔는지 되돌아봅니다.
그 중에서 지금 자신의 교육에 대한
생각과 역량에 영향을 준 경험을
짚어봅니다. 그리고 그것이 어떻게
지금의 나를 형성해왔는지
인식합니다.

서로에 대한 믿음과
좋은 습관

대화한 날_ 2023. 10. 18.

완성한 날_ 2023. 11. 30.

서로에 대한 믿음과 좋은 습관

교사는 아이들의 세상을 열어가는 사람들이라는 말이 참 기억에 남는다. 그러고 보면, 나 역시 하루하루 가르치는 일과 배우는 일에 마음을 쏟으며 아이들의 세상을 열기 위해 많은 열쇠들을 찾고 준비해 온 것 같다.

처음엔 잘 가르치고 싶어서 연수를 미친 듯이 신 청하여 들었다. 비싼 연수도 사비를 들여 수강했고 일 년

동안 500시간 넘는 연수를 신청하여 듣기도 했다. 아무리 다양하고 별난 아이들을 만난다고 하더라도 내가 연수를 통해 여러 가지 열쇠를 준비하고 있으면 모든 아이들의 세상을 쉽게 열 수 있으리라 생각했기 때문이다. 그런데 참 이상하게도 아무리 열심히 연수를 듣고 다양한 방법으로 아이들을 만나고 가르쳐도 내가 생각한 결과가 나오지 않았다. 분명 연수 강사님께서 하신 방법대로 자료를 만들고 똑같은 언어로 투입했는데 아이들의 반응은 시원찮았다. 아이들의 반응은 시원찮은데 연수를 듣느라 또 자료를 만드느라 너무너무 힘들고 지쳐가기만 했다.

그래서 다음 방법으로, 옆 반의 선생님들께로 눈을 돌렸다. 충격이었다. 난 항상 학교에 일등으로 출근했고 늦은 시간까지 남아 아이들의 일기장과 숙제들을 검사하는데 내 눈엔 약간 게을러 보이기까지 한 옆 반 선생님들의 학급이 훨씬 정돈되어 있으며 옆 반 학생들의 결과물이 월등하게 보였다. 옆 반 선생님들께서는 나처럼 늦은 시간까지 남아 아이들의 일기장을 검사하지도 않으셨고 나처럼 많은 수업 활동을 하지도 않으셨다. 그리고 화장실 갈 시간도 없이 급하게 뛰어다니며 동학년 티타임에 참석하지 못하는 나와 달리, 동학년 티타임도 꼬박꼬박 참석하셨다. 또한 늦은 시간 집으로 돌아가며 검사할 것들을 바리바리 싸들고 가는 나와는 달리, 가볍고 우아한 작은 핸드백만 들고 다니셨다.

난 정말 궁금했다. 도대체 저 선생님들과 나의 차이는 어디에서 오는 걸까? 아무리 교육이란 것이 단시간 내에 눈에 띄는 성과가 나타나지 않는다고, 우리 반 아이들이 결국 나의 고생을 알아줄 것이라고, 시간이 흐르면 우리 반 아이들이 훨씬 잘 교육 받은 것이 될 거라고 나 자신을 위로해봐도 내 마음 깊은 곳에선 그렇지 않을 것 같다는 슬픈 예감이 들었다. 그러나 답을 찾지는 못했다. 옆 반 선생님들께 비결을 여쭤볼까도 싶었지만, 교실이라는 곳이 문을 닫으면 무척 폐쇄적 공간이 되어 옆 반에 쉽게 방문도 못하고, 또 한편으론 옆 반 선생님들의 노하우를 날름 별 힘도 들이지 않고 그냥 훔치는 게 아닌가 하는 생각에 묻지도 못했다.

뭔가 원하는 결과가 나오지 않아 답답한 마음을 가지고 열심히 하루하루를 견디던 교사 첫 해 5월 말의 어느 날, 우리 반 미술 수업을 들어오시던 정년을 얼마 안 남기신 교과 선생님께서 교과실로 나를 부르셨다. 기분 나빠 할까 봐 말을 안 하시려 했는데 열심히 하는 모습이 보여 안쓰러운 마음에 얘기해 주신다며 우리 반 학생들의 상태를 조심스럽게 말씀하셨다. 5학년 다른 반들에 비해 학생들이 준비물을 안 챙겨 온다, 교과 수업 전 학생들 뿐 아니라 교사의 자리 정돈이 되어 있지 않다, 선생님 설명을 경청하는 훈련이 되어 있지 않다, 제시간에 작품을 완성하는 학생이 드물다, 교실이 지저분하다, 우리 반은 깍두기 반이라는 소문이 돌고 있다(우리 반은 5학년 9반이었는데 우리 학년을 빼고는 나머지 학년들이 모두 8반까지 있어서 우리 반은 있으나마나한 깍두기 반이라 아무 것도 잘하지 못한다는 소문이 돌았다) 등의 충격적인 우리 반 실태와 소문을 말씀해 주셨다. 열심히 했는데 시험을 망친 아이처럼 눈물이 났다. 그리고 지금까지의 답답함과 설움

서로에 대한 믿음과 좋은 습관

에 주저리주저리 내가 했던 모든 활동들과 이를 튕겨내는 듯한 우리 반 학생들의 모습을 고자질하듯 토해냈다. 담담히 다 들으신 선생님께서 잔잔히 웃으시며 내게 알림장을 어떻게 적어주는지 물으셨다.

알림장? 첫날 아이들이 알림장을 적어달라는 말에 "알림장이 뭐니?"라고 물었고 아이들은 "알림장은 내일 뭘 준비해 와야 하는지 적어주는 거예요.", "선생님, 알림장도 몰라요?"라고 하길래 "아니, 왜 선생님이 알림장을 적어줘야 하니? 그런 건 너희가 선생님과 수업하며 필요한 것들을 수첩에 적어서 가야지."라고 말해줬다. 난 진심으로 선생님이 정리해서 알려주는 알림장이 아니라 중요한 내용이나 준비물들을 선생님과의 수업에서 찾아 알림장이라 불리는 메모장에 스스로 적어야 한다고 생각했다. 그래서 우리 반은 그때까지 알림장을 적어 주지도 검사하지도 않았다. 교과 선생님께 알림장을 적지 않는다고 말씀드리니 왜 적지 않았냐고 물으셨고 난 내 생각을 말씀드렸다. 그랬더니 선생님께서 물론 스스로 중요한 내용을 메모하는 것도 참 중요한 교육방침이지만 내가 가르치고 있는 아이들은 초등학생이며 초등학생들은 스스로 중요한 내용을 메모하는 인지적 능력도 매우 중요하지만 앞으로 평생의 좋은 습관을 길들여 가는 중요한 시기이고 이를 위해 교사의 가이드라인 제시가 매우 중요하다고 얘기해 주셨다. 스스로 하는 학생을 길러내는 내 교육방침이 틀리진 않았지만 이를 위해 학생들이 목표에 좀 더 쉽게 접근할 수 있도록 교사가 차근차근 단계를 제시해 주면 능력이 부족한 학생들도 시행착오를 덜 겪을 수 있지 않겠냐고, 그리고 좀 더 많은 학생들이 목표에 도달할 수 있지 않겠냐고 말씀하셨다. 그리고 알림장을 적어주는 활동이 교사 주도적인 것 같지만, 잘 적은 알림장을 보며 준비물을 스스로 챙겨 넣는 훈련을 하는 것이 초등학생들에겐 더 적합한 자기 주도적 활동이지 않겠냐고 말씀하셨다. 그리고 조심스레 내가 기분 나빠하지 않는다면 본인이 40년 간 알림장을 적어온 방법을 알려주고 싶다고 말씀하셨다. 난 너무 기뻐하며 알림장 적는 방법을 메모했고 그 방법을 나에게 적합하게 변형하여 그 방법으

서로에 대한 믿음과 좋은 습관

로 나 역시 30년 가까이 교사 생활을 지속하고 있다.

학생 스스로 하게 하되 교사는 학생이 좀 더 목표를 달성하기 쉽게 차근차근 단계를 제시하자!

초등은 지식도 중요하지만 평생을 살아가는데 필요한 좋은 습관을 기르는 시기임을 명심하자!

많은 연수와 강의보다도 퇴직을 얼마 안 남기신 원로 선생님의 따끔한 말씀과 가르침이 나에겐 더 큰 도움이 되었고 이는 내 교사 생활의 나침반이 되었다. 신기하게도 알림장 적는 방법을 바꿨을 뿐인데 내가 맡은 첫해의 우리 반 아이들은 짧은 시간 안에 놀랍게도 변화하는 모습을 보였다. 너무너무 놀랍고 기뻐서 원로 선생님께 우리 반 아이들의 변화를 자랑했다. 원로 선생님께서도 우리 반이 눈에 띄게 변한 게 보이신다고 크게 칭찬해 주셨다. 그러면서 넌지시 아이들이 변한 것이 알림장을 쓰기 시작한 것 때문에만은 아니라고 말씀하셨다. 그게 무슨 말씀인지 어리둥절해 있는 나에게 원로 선생님께서 이렇게 말씀하셨다.

"정 선생님, 난 정 선생님께서 정돈되고 잘 적은 알림장 쓰기를 시작하면서 아이들과 학부모님께서 선생님의 교육 활동에 좀 더 믿음을 가지게 된 게 정 선생님 반 변화의 시작이라고 생각해요. 알림장을 적기 전엔 우리 선생님은 초보이고 열심히는 하시지만 뭔가 어설프고 신뢰가 안 간다고 생각하던 아이들과 학부모님들께서 우리 선생님이 열심히 할 뿐만 아니라 전문가답게 아이들을 잘 가르친다고 생각하기 시작하니 똑같은 활동도 훨씬 좋은 결과가 나왔을 겁니다."

정말 그랬다. 예전에는 수업 준비를 열심히 하고 많은 자료를 아이들에게 줘도 아이들이 자료를 망가뜨리거나 신기한 활동을 한 번 경험해 보는 것으로 끝났는데, 정선된 활동을 제공하려 노력하다 보니 더 적은 자료를 주게 되었지만 우리 반 아이들이 더 많은 시간, 깊이 있는 탐색을 하게 되었다. 많은 연수와 학습자료가 답이 아니었음을, 그리고 아이들의 세상을 여는 열쇠가 아님을 깨닫게 되었다.

　　　그토록 많은 자료를 만들고 많은 시간을 들여 아이들을 들여다 보려 했지만 난 참 불친절한 교사였다. 스스로 준비물을 적어야 한다고 하며 이를 짚어주지 않으니 준비물을 잘 챙겨오는 학생들이 적었던 것인데 '우리 반 학생들은 왜 준비물을 안 챙겨오지?'라고 생각하며 타박만 했다. 스스로 해야 한다며 거의 모든 활동을 펼쳐 놓기만 할 뿐 어떻게 해야 할지 알려주는 것은 적었다.

　　　그리고 난 참 혼란을 야기하는 교사였다. 분명 내가 대학교와 대학원의 강의들과 많은 연수들을 들으며 배운 것으론, 학생들은 다양하며 다양한 학생이 다양한 방법으로 자신이 잘하는 것을 스스로 찾아가도록 도와주는 역할을 선생님이 담당해야 한다고 했고 또 그런 학급을 만들고 싶었는데 나는 아이들에게 다양한 학습활동을 제공하기만 하고 이를 통해 얻어가는 건 너희들 몫이라고 생각하며 뒷짐을 지고 있어서 아이들에게 오히려 혼란을 주는 교사였던 것 같다. 교사라면 학생들이 활동을 통해 얻어갈 수 있는 것들을 좀 더 많은 학생들이, 좀 더 쉽게 얻어갈 수 있도록 도움을 줬어야 했는데 그러지 못했다.

이 모든 시행착오와 잊지 못할 멘토 선생님을 통해 얻은, 아이들의 세상을 여는 나만의 열쇠는 "믿음"과 "좋은 습관"이다. 나를 거쳐 간 아이들이 나를 믿고 나와의 시간을 행복하고 정선된 시간으로 기억하여 이 좋은 기억으로 자신들의 앞날을 멋지게 살아낼 수 있도록 삶의 좋은 습관을 길러주는 것, 이것이 내가 교사로서 추구하는 길이며 내가 우리 반 친구들에게 꼭 선물하고 싶은 태도이다. 나에게 배운 학생들은 시간을 아껴 쓰는 습관을, 책을 가까이 하고 책읽기를 즐겨하는 습관을, 규칙적인 생활을 통해 자신의 삶을 계획하는 습관을, 건강을 위해 좋아하는 운동 하나쯤은 매일 30분 이상 꾸준히 실천하는 습관을, 하루를 마무리하며 오늘의 감사할 일과 감사한 사람들을 떠올리는 습관을 가지길 바란다. 그리고 이 모든 것을 쉽지 않겠지만 내가 교사로서 또 먼저 삶을 살아가는 자로서 많은 시간을 같이 보내는 아이들에게 말 뿐만이 아니라 교실에서 생활로 보여주고 아이들이 충분히 연습하게 하고 싶다. 내가 준비한 이 열쇠로 우리 아이들의 세상을 활짝 열 수 있기를, 또한 이렇게 열린 우리 아이들의 세상이 지금보다는 조금은 더 좋은 세상이기를, 조금은 더 멋진 세상이기를 기대해 본다.

"이 모든 시행착오와

 잊지 못할 멘토 선생님을 통해 얻은

 아이들의 세상을 여는 나만의 열쇠는

 '믿음'과 '좋은 습관'이다."

서로에 대한 믿음과 좋은 습관

B

당신은 이 글의 저자인 동시에 독자입니다. 저자인 나와 독자인 나는 만날 때마다 새로운 이야기를 만들어 갑니다. 지금 이 글을 읽는 당신의 생각을 여기에 더해보세요. 그것은 내 손을 떠난 글에 새로운 생명과 생기를 불어넣는 일입니다.

서로에 대한 믿음과 좋은 습관

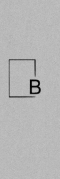

B

내게 배운 학생들은
어떤 세상에서 살까요?

우리 사회가 어떠한 곳이 되기를
바라는지 생각해봅니다. 정치, 경제,
문화 등 사회의 각 영역에 대한
관점에 영향을 준 일들을
짚어봅니다. 그를 통하여 어떤
가치관을 형성해 왔는지
성찰합니다. 그에 비추어 현재
우리 사회의 모습을 볼 때 발견하는
괴리를 인식합니다.

비록 아닐지라도
너로 충분한 세상

대화한 날_ 2023. 10. 25.

완성한 날_ 2023. 11. 29.

비록 아닐지라도 너로 충분한 세상

나는 내가 가르친 아이들이 적어도 노력한 만큼 결실을 맺고 맛볼 수 있는 세상에서 살길 바란다.

교직에 첫발을 디뎠을 때부터 난 "정의" 혹은 "공정"이라는 가치가 내 교실에서만큼은 실현되고 아이들이 경험할 수 있길 바랐다. 사회에 나가면 나 자신의 노력이나 존재 자체보다는 내 부모님의 지위와 재산, 학위 등 여러 가지 것들로 종합적으로 판단되고 가치 매겨지겠지만 내 교실에서만큼은 아이들이 있는 그대로 자신의 노력이

나 존재만으로 판단되고 가치 매겨지길 바란다.

어릴 때는 "콩 심은 데 콩 나고 팥 심은 데 팥 난다."는 말처럼 내가 노력한 것만큼 결과를 얻는 것이 당연하다고 생각했고, 오히려 내가 노력한 것보다 좀 더 좋은 결과를 얻길 바란 적도 많았다. 그러나 세상을 살아보니 노력한 만큼 돌려받는다는 것 자체가 얼마나 운이 좋은 것인지 깨닫게 되었다. 노력해도 돌아오지 않는 것도 있다는 것 자체가 충격적이긴 하지만 현실적이라는 것을 알게되었다. 그때의 허무함이란...

나는 내가 가르친 아이들이 이런 허무함으로 세상을 살아갈 힘을 잃지 않길 바란다. 비록 세상이 실망스러운 결과로 내게 답하더라도 꿋꿋하게 자신의 길을 걸어갈 수 있는 아이들이 되길 바란다.

나에게는 두 명의 아들이 있다. 딸 하나 못 낳은 재주 없는 엄마다. 이 아들들은 나의 피로 회복제이자 내 피로의 원천이다. 아들들을 낳아 키우기 전의 나는 열혈 선생님, 소위 뭐든 1등을 해야 직성이 풀리는 교사였다. 이런 나에게 우리 반 남학생들은 도저히 이해할 수 없는 존재였고 극복해야 할 도전 과제들이었다. 안전을 위해 우측으로 걸어 다니라고 지도해도 대부분의 남학생들은 나는 듯이 뛰어다니다 서로 부딪혀서 다치는 게 일상이었고, 서로 성격이 다름을 인정하고 존중하라고 지도해도 서로 헐뜯고 치고받으며 다시는 안 볼 듯 싸우는 게 다반사였다. 거기에다 바로 다음 날 다시 웃으며 같이 놀고 있는 남학생들... 정말 이해 불가한 존재이고 어찌 보면 뇌가 없는 듯이 보였다.

근데 이랬던 내가 아들 둘을 키우며 생각이 완전히 바뀌었다. 아직도 비데가 없으면 용변도 못 보는 아들들을 보며, 아침에 목이 터지게 일어나라 소리쳐도 일어나기 힘들어하는 아들들을 보며, 학교에 멀쩡하게 등교하여 의젓하게 앉아 공부하는 남학생들이 달리 보이기 시작했다. "너희들은 왜 가만히 앉아 있질 못하니?" 하며 야단치던 내가 "와, 책을 책상 위에 올려놓았네. 대단하다." 하며 칭찬하게 되었고, "수업 시간에 집중하지 못해!" 하며 소리치던 내가 "오늘

날씨가 안 좋아서 학교 나오기 힘들었을 텐데 학교에 나왔네. 착하다." 하며 아이들을 토닥토닥 격려하게 되었다. 아들들로 인해 나의 칭찬 허들은 한없이 낮아졌고 아이들을 바라보는 시선은 따뜻하게 바뀌게 되었다. 시선이 바뀌니 객관적으로 하나도 바뀐 게 없는 나를 둘러싼 세상이 싹 다 바뀌어 보이기 시작했다. 모든 게 부족해 보이던 남학생들도, 왠지 미덥지 못한 나의 아들들도 하나하나 칭찬할 것들이 보이고 예쁘고 기특해 보이기 시작했다.

내가 아들들을 낳아 기르기 전엔 내가 가르친 아이들이 내 교실 내에서만이라도 노력한 결과를 맛보고 성취감을 느끼도록 해서 사회에 나가서도 열심히 생활하는 사람들로 길러내려 했다. 그리고 그렇게 열심히 배운 대로 행하는 사람들이 하나 둘 늘어 난다면 사회는 점차 살만해 지고 좋아지지 않을까 막연히 생각했다. 그랬기에 어떻게 해서든 내가 가르치는 동안 우리 반 학생들이 사회 규범을 잘 익히고 세상을 살아갈 좋은 습관과 배움을 얻도록 무척 학생들을 다그쳤다. 그리고 성취 결과가 낮거나 좋지 못한 학생은 본인의 노력이나 자질이 부족하다 생각했다. 이러한 시선으로 바라보니 나를 제외한 모든 학생들이 문제로 보이고 고쳐줘야 할 대상으로 보였다.

그러나 내가 아들들을 낳아 기르다 보니 내 아들들과 우리 반 학생들의 노력과 자질이 부족한 게 아니라는 생각, 그들의 노력과 자질이 부족해서 좀 더 나은 세상이 만들지 못하는 게 아니라는 생각이 강해졌다. 사회를 봐도 그렇고 우리 교실을 봐도 그렇다. 분명 잘 교육 받았으며 성실히 노력하는 사람들인데, 자신의 일이 되면 공동체의 이익보다 자신의 이익을 민감하게 추구하며 매우 이기적으로 행동하여 좀 더 나은 사회를 만드는 데 방해가 되는 행동을 하는 사람들을 주변에서 쉽게 보게 된다. 남의 일인 경우 칼같이 시시비비를 명확하게 판단하면서 본인이 연관되면 "그래도 난 이래서 …"라며 자신의 모든 지식을 동원하여 자기 변명을 논리적 근거인 양 들이대는 사람들이 정말 많다.

구체적으로 살펴보면 더욱 그러하다. 환경을 보호해

야 다음 세대에게 좋은 환경을 물려줄 수 있다는 걸 알면서도 편리하다는 이유로 플라스틱과 일회용품 사용을 줄이지 못하는 사람들, 쓰레기 매입지가 필요하다는 걸 알면서도 집값 떨어지니 내 집 앞은 절대 안 된다는 사람들, 사람들은 모두 좋은 환경에서 공부할 권리가 있다는 걸 알면서도 내 자녀가 다니는 학급에 장애 학생은 없었으면 좋겠다는 사람들, 차별은 좋지 않다고 얘기하면서도 본인의 자녀는 특별히 신경 써 달라는 부모님들을 보며 "과연 우리는 좀 더 나은 세상을 만들고 있는 걸까?" 라는 질문에 회의적인 생각을 하게 된다. 그리고 예전보다 더 빡빡하고 살기 힘든 세상에서 살아가게 될 내 아들들과 우리 반 학생들에게 안쓰러운 마음과 미안한 마음만 가득하다.

지금의 이런 세상은 잘못 교육받거나 교육받지 못해 노력과 자질이 부족한 사람들이 만든 것일까? 그에 대한 나의 대답은 "아니다!"이다. 대부분의 사람들이 초등교육밖에 받지 못했던 시절과 달리, 이제는 고등학교까지 의무교육인 세상이라 최소 초등학교 6년, 중학년 3년, 고등

학교 3년을 교육받은 사람들이 대다수인 시절이다. 대다수의 사람들이 양질의 교육을 통해 본인들의 부족한 노력과 자질을 보충하고도 남을 시간을 교육에 들이고 있다. 그런데 세상은 조금 더 살 만해지고 좋아졌는가?

만약 그렇지 않다면 부족한 노력과 자질을 교육하는 것이 좀 더 나은 세상을 만드는 답이 아니라는 것인가? 그렇다면 내가 교사로서 지금까지 성실히 최선을 다해 학생들을 가르친 일은 모두 헛일인 것인가? 이런 결론에 도달하면 허무한 마음마저 든다.

이에 난 "세상이 도대체 왜 이래?", "나의 자녀들과 학생들에게 조금 더 나은 세상을 물려줄 수 없어 속상해." 라고 말하며 비관하기보다 세상과 아이들을 바라보는 나의 시선을 바꾸고 싶다. 학생들은 노력과 자질이 부족하기 때문에 내가 교육을 통해 채워줘야 한다는 시선이 아니라, 학생들은 열심히 살아가고 있으며 그 자체 만으로도 충분히 훌륭하다는 시선으로 바라보고자 한다. 그리고 이런 시선으로 우리 아이들이 조금 더 나은 세상을 만들기 위해 살아가는 모습을 인정해 주고 그들을 위로해 주고 싶다.

비록 이런 시선만으로는 선생님으로서 또 앞선 세대로서 우리 아이들이 살아가기에 좋은 세상을 물려주지도 조금 더 나은 출발을 하게 해 주지도 못할 것이다. 그러나 난 우리 아이들도, 나 자신도 뜻대로 원대로 되지 않는 세상에 실망만 하기보다는 앞으로 나아가길 바라며, 그 나아감에 있어 이런 시선이 응원이 될 것이라 기대한다. 내가 가르쳐 준 것들은 다 잊어도 교실에서 경험한 작은 성공의 기억, 남을 도왔던 기억, 존재만으로 인정받았던 기억들을 모아 조금 더 나은 세상을 만들어 가길 기도한다.

나는 나에게 배운 아이들이 실망하지 않고 계속 세상을 살아갈 힘을 얻을 수 있도록 좋은 기억들을 만들어 주고 그들의 노력을 인정함으로써 위로를 주는 교사가 되고 싶다. 그리고 우리 아이들에게 조금 더 나은 세상, 조금 더 나은 출발을 만들어 주기 위해 나 자신 역시 실망하지 않고 나아갈 것이다.

비록 아닐지라도 너로 충분한 세상

"얘들아, 세상이 너희가 생각하는 만큼 좋지도 만만하지도 않아 실망스럽고 힘들 수 있어. 너희들이 열심히 노력했지만, 노력의 결과에 정당한 보상을 받지 못할 수도 있어. 선생님은 이미 충분히 실망하고 있는 너희들에게 실망하지 말라고, 이미 충분히 힘내고 있는 너희들에게 무조건 힘내라고 말하고 싶진 않아. 하지만 너희들에게 이미 너무너무 잘하고 있다고 말해 줄게. 아무도 알아주지 않아도 선생님은 네가 노력한 것을 알고 있고 그건 정말 대단한 일이라고 말해 줄게. 오늘도 정말 수고했어~."

"나는 내가 가르친 아이들이
이런 허무함으로 세상을 살아갈 힘을
잃지 않길 바란다.
비록 세상이 실망스러운 결과로
내게 답하더라도
꿋꿋하게 자신의 길을 걸어갈 수 있는
아이들이 되길 바란다."

비록 아닐지라도 너로 충분한 세상

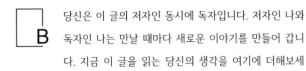

B

당신은 이 글의 저자인 동시에 독자입니다. 저자인 나와 독자인 나는 만날 때마다 새로운 이야기를 만들어 갑니다. 지금 이 글을 읽는 당신의 생각을 여기에 더해보세요. 그것은 내 손을 떠난 글에 새로운 생명과 생기를 불어넣는 일입니다.

비록 아닐지라도 너로 충분한 세상

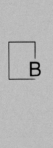

학교는 어떤 곳이
될 수 있을까요?

우리 교육이 마땅히 그러하길
바라는 모습을 상상해봅니다.
교육에 대한 자신의 철학을
형성하게 한 일들을 되짚어봅니다.
그를 통하여 어떤 교육철학을 갖게
되었는지 성찰합니다. 현재 우리
교육이 가진 괴리를 인식합니다.

함께 꿈꾸며
나아갈 힘을 얻는
학교

대화한 날_ 2023. 11. 1.

완성한 날_ 2023. 11. 28.

함께 꿈꾸며 나아갈 힘을 얻는 학교

미래교육하면 난 "코로나19", "당하다", "교장님", "교육
주도층의 변화", "교육격차의 심화" 등의 단어가 떠오른다.

　　　　항상 교실에서 아이들을 가르치며 나름 미래를
준비하는 미래교육을 해왔다 생각했지만 그렇지 못했나
보다. 갑작스러운 코로나19 팬데믹을 겪으며 난 강제로 미
래교육을 맞이하게 되었다. 잘 준비해 오고 있다고 생각
한 미래교육에게 흡사 습격을 당한 듯한 충격과 나름의

배신감을 느꼈다. 아무리 미래는 우리가 기대한 형태와 방식으로 오는 법이 없다고는 하나 너무나 갑작스러웠다.

생각지도 못한 질병으로 시업식이 계속 연기되고, 학교에 등교할 수 없게 되어 새로운 방식의 수업 방법을 찾아야만 했다. 예전에는 당연하게 이루어졌던 등교 수업을 할 수 없게 되니, 내가 가르치는 학생들에게 교과서를 전달하는 방식도, 학습지를 전달하는 방식도 모두 바뀌어야만 했다.

이런 혼란 가운데, 다행히도 우리 학교는 교장공모제를 통해 교장님을 새로 모시게 되었는데 이 분의 전공 분야는 미래교육! 미래교육 쪽을 깊이 연구하시고 계속적으로 강의하시는 분이셔서 앞장서서 우리 학교의 수업 방침과 대응책을 제시하여 주셨다. 그 덕분에 준비되지 않은 인근의 다른 학교들과는 달리 우리 학교는 처음부터 혼란 없이 전 시간 실시간 쌍방향수업 방법을 도입하여 실시했다. 학습 자료들을 1주일 단위로 담아 학생들의 집 우편함에 전달했고 우리 교사들은 새로운 방식의 수업을 진행

하기 위해 자발적으로 필요한 분야의 강사를 요청하여 컨설팅 장학, 연수 등을 실시하였다. 물론 너무 힘들다는 선생님들도 계셨지만, 난 혼란스러운 상황 속에서 교육 방향과 방침을 제시하여 주시는 교장님이 계셔서 조금 덜 당황스럽게 미래교육을 맞이할 수 있어 좋았다.

또한 난 시간이 지나면서 코로나19로 인해 너무나도 달라진 교육현장을 보며 교육 주도층의 변화를 실감했다. 코로나 이전엔 고경력의 선생님들께서 자신만의 수업 기술들을 전파하시며 주도적 역할을 담당하셨다면 코로나 이후엔 5년 이내의 저경력 선생님들께서 새로운 기기와 그 기기를 활용한 수업 기술들을 전파하시며 교육 주도층으로 나서기 시작했다고 느꼈다. 연수를 들어봐도 컨설팅 장학을 요청해 봐도 젊은 피 가득한 선생님들이 등장했다. 이 현상을 단순히 좋다, 나쁘다로 말할 순 없으며 또한 그렇게 말하고 싶지도 않다. 다만, 젊은 선생님들의 새로운 생각과 기술은 나에게 참신함과 시대의 변화에 발맞춘 교육의 변화를 실감하게 해 주었다. 그러나 한편으론 "내가 뭘 알아. 젊은 사람들이 더 잘하지."라며 한 발 물러서시는 고경력 선생님들을 뵈며, 존중받아 마땅할 원숙한 선생님들의 노하우와 경험이 경시되는 것 같아 아쉬움도 크게 느꼈다.

원격수업으로 인한 교육의 공백을 학생들이 느끼지 못하도록 열심히 가상 공간에서의 학습법을 고민하고 적용하며 '나도 이 정도면 미래교육을 제대로 하고 있지 않나'라는 자부심이 슬그머니 올라올 때쯤, 원격기기 너머의 아이들이 보이기 시작했다. 유난히 화면을 꺼놓고 소리로만 참여하는 친구가 있어 야단도 쳐 보고 화면을 켜라고 부탁도 해 보았다. 그럴 때마다 배시시 웃으며 늦잠 자서 얼굴을 친구들에게 보여주기가 싫다며 수줍게 말하던 A. 나중에야 알게 된 A의 사정은 늦잠이 아니었다. 부모님이 아닌 외할머니, 외삼촌과 함께 단칸방에 살던 A는 자신의 생활 모습을 친구들에게 보여주고 싶지 않아 화면을 켜지 못한 것이었다. 번듯한 자기 방에서 책상에 앉아 엄마가 준비해 주신 간식을 먹으며 여유롭게 수업에 참여하는 친구들을 보며 그렇지 못한 자신의 가정 환경을 보여주고 싶지 않앉던 것이다. 당연히 책상도 없어 땅바닥에 책을 내려놓고, 식사하시는 외할머니와 외삼촌을 피해 수업에 참여하던 A. 코로나19로 야기된 미래교육의 현장에서 난 더욱더 커진 교육격차를 실감하게 되었다. 부유한 가정의 친구들은 코로나19로 인해 혹시 학습에 뒤쳐질까 싶어 더욱 많은 사교육을 받게 되었고, 학교에서만 간신히 교육기회를 제공받던 친구들은 내가 아무리 노력하고 챙겨주려 해도 등교수업에 비해 더욱 교육의 사각지대에 놓이게 되었고 그들의 학습 결손은 누적되어만 갔다. 내가 상상한 미래교육은 첨단 과학기술을 교육에 적용하여 더 많은 학생들이 학습목표에 도달하도록 돕는 것이었지만 내가 경험한 미래교육은 학생들의 가정환경에 따른 교육격차의 실감과 교사 집단의 분열인 셈이다.

모두가 상상치도 못했던 코로나19 팬데믹으로 인해 나를 비롯한 모든 선생님들이 맞이하게 된 갑작스레 미래교육을 통해서 과연 내가 가르치는 우리 아이들이 살게 될 미래 사회의 모습은 어떠할지 생각해 볼 기회를 가지게 되었다. 물론 갑작스레 맞이하게 된 미래교육이 그러했듯 우리 아이들은 내가 상상하는 미래사회가 아니라 전혀 다른 모습의 미래사회에서 살게 될 확률이 높다. 그러나 미래를 예측하는 가장 확실한 방법은 그것을 손수 만드는 것이라는 피터 드리커의 말처럼 난 우리 아이들이 살았으면 하는 미래사회를 상정하고 학교라는 공간을 통해 이를 만들고 싶다.

난 내가 가르치는 우리 아이들이 안정된 세상에서 살았으면 좋겠다. 내가 말하는 안정된 세상이란 자연환경 뿐 아니라 인문환경, 개인의 마음 상태까지 포함하는 말이다. 모두가 다 자신의 개성과 재능을 마음껏 발휘할 수 있도록 서로 합의하여 모두에게 통용되는 상식을 만들어서 서로의 말과 생각이 통하는 세상, 우리의 생활 방식을 전환하여 좀 더 깨끗해진 환경으로 이루어진 세상, 전쟁이나 식량 부족, 자원 부족, 기후 재앙, 전염병, 범죄와 같은 위협으로부터 벗어난 안전한 세상을 만들어 주고 싶다. 과학기술이 발달된 첨단 사회도 좋지만, 그보다는 좀 더 깨끗해진 자연환경 속에서 자연을 흠뻑 느끼고 누리며 우리 아이들이 안정적으로 미래를 꿈꾸고 준비할 수 있었으면 좋겠다.

오늘이 만족스러운 것도 좋지만 오늘보다 나은 내일을 기대할 수 있을 때 우리는 세상을 살아갈 힘을 더욱 얻게 되는 것 같다. 난 내가 가르치는 우리 아이들이 학교에서 현재보다 더 나은 미래를 꿈꾸며 자신들의 손으로 직접 더 나은 미래를 만들어 나갈 힘을 얻었으면 좋겠다. 우리 아이들이 함께 꿈꾸며 나아갈 힘을 얻는 곳, 그곳이 바로 학교이기를 소망한다.

"내가 가르치는 우리 아이들이 학교에서

현재보다 더 나은 미래를 꿈꾸며

자신들의 손으로

직접 더 나은 미래를 만들어 나갈 힘을

얻었으면 좋겠다."

함께 꿈꾸며 나아갈 힘을 얻는 학교

B

당신은 이 글의 저자인 동시에 독자입니다. 저자인 나와 독자인 나는 만날 때마다 새로운 이야기를 만들어 갑니다. 지금 이 글을 읽는 당신의 생각을 여기에 더해보세요. 그것은 내 손을 떠난 글에 새로운 생명과 생기를 불어넣는 일입니다.

함께 꿈꾸며 나아갈 힘을 얻는 학교

B

교사인 나를 둘러싼 환경은
어떠한가요?

우리 사회와 교육이 가지길 바라는
모습을, 나의 차원에서 실현하기에
주변 환경이 어떠한지 살펴봅니다.
자신의 교육철학을 이루기에
도움이 되는 환경과 제약이 되는
환경을 짚어봅니다.

우리 모여요!

대화한 날_ 2023. 11. 8.

완성한 날_ 2023. 11. 28.

우리 모여요!

우리 모임의 첫 번째 질문은 "요즘 나의 수업은 어디에서 영향을 가장 많이 받나요?"였다. 질문을 받고 생각해 보니 요즘 나의 수업에 가장 큰 영향을 미치는 요인은 사람, 특히 동료 교사들이라는 생각이 들었다.

나는 현재 초등학교 2학년 담임교사이다. 교직을 28년간 해 왔지만, 첫 학교에서 부장님을 보조하기 위해 배치받았던 2학년 한 번을 제외하고는 작년에 처음 2학년을 하게 되었고 올해도 역시 연달아 2학년을 맡게 되었다. 처음이다 싶을 정도로 생소한 2학년 담임 생활은 하루하루가 당황스러움과 놀라움의 연속이었던 것 같다. 시도 때도 없이 화장실에 가겠다는 아이, 갑자기 숨바꼭질하듯 학교 어디론가 숨어버리는 아이, 바지에 용변을 보고 창피하니 친구들에게 안 들키려고 뭉개고 앉아 있는 아이, 화가 난다고 집에 가겠다며 가방 메고 교문으로 돌진하듯 뛰어나가는 아이 등등 지금까지 내가 잘 보지 못했던 여러 유형의 아이들이 날 매시간 당황스럽게 만들었다. 아이들뿐만이 아니다. 봄, 여름, 가을, 겨울 교과서라니... 과학도 아니고 사회도 아니고 무슨 계절 이름이 교과서란 말인가? 게다가 내용은 봄바람을 느껴요, 물놀이를 해봐요, 가을 열매를 맛보아요 등등... 교과서 한 권을 빠르면 1~2시간, 아무리 시간을 끌어도 하루면 모두 배울 것 같은 내용에 소위 잘 가르치는 교사였던 나는 멘붕의 연속을 맛보아야만 했다.

　　이런 나에게 구원의 손길은 동학년 선생님들이셨다. 나도 교육 경력이 적지 않은데 작년엔 2학년 5개반 중 나는 막내. 다 늙은 나이에 동학년 선생님들의 귀여움과 지도, 관심을 독차지하였다. 처음엔 여쭤보면 귀찮아 하실까봐, 혹은 짜증내실까 봐 옆 반에 잘 찾아가지도 않았는

우리 모여요!

데 그런 내 모습을 눈치채셨는지 동학년 선생님들께서 맛있는 차와 간식을 준비해 놓았다며 머뭇거리고 바쁜 척하는 막내 부장교사를 자꾸 초대해 주셨다. 그리고 오늘은 어땠는지, 힘든 아이들은 없었는지 물어봐 주시며 따뜻한 위로와 본인들의 노하우를 대방출해 주셨다. 차츰 맛있는 먹이에 길들여진 나는 동학년 선생님들의 초대에 젖어 들어가며 2학년 생활에 점차 적응할 수 있었다.

올해의 동학년 구성은 작년과 정반대이다. 작년엔 막내였던 내가 올해는 왕언니를 맡고 있다. 동학년 선생님들은 대부분 육아휴직을 막 마치고 학교에 복귀한, 초등 저학년 자녀를 키우고 있는 육아맘들이다. 나 역시 아이들이 있다 보니, 아이들을 키울 그 당시를 돌이켜 생각해 보면 늘 부족한 것 뿐이었다. 시간도, 체력도, 잠도 모두 부족한 것 투성이였다. 그런 나의 경험을 바탕으로 올해 우리 동학년 선생님들을 쉽게 해 주고 싶었다. 그래서 부족하지만 작년에 내가 받았던 위로와 호의들을 우리 동학년 선생님들에게 먹이와 함께 돌려 주려 노력하고 있다. 이런 노력 때문인지 우리 동학년은 무척 분위기가 좋다. 올해 우리 학교의 2학년 친구들이 무척 힘들다고 소문이 났음에도 불구하고, 동학년 교사 모두 나이에 상관없이 으싸으싸 하며 즐거운 학교 생활을 하고 있다. 어느 선배 선생님의 말씀처럼 정말 사람이, 그리고 교사에게는 동학년이 제일 중요하다는 것을 실감하는 요즘이다.

어느새 쌓인 경력들은 나에게 많은 업무들과 부장 직책을 부여하고 있고, 그러다 보니 나는 어찌 보면 학교의 문화를 만들어 가는 주요 인물이라 생각된다. 이런 내가, 요즘 만들기 위해 가장 노력하는 학교 문화는 "모임"이다. 이건 내가 작년에 동학년 선생님들의 모임을 통해 생소한 2학년 교사생활에 점차 적응해 나간 경험 때문일 것이다.

예전에는 업무 위주로 선생님들을 대했다. 명확하게 해야 할 일들을 안내했고 기한과 처리 방법 등을 알려드렸다. 정기적인 동료 교사 모임도 갖지 않았고 동학년

우리 모여요!

티타임에도 바쁘다는 핑계로 참석하진 않았지만, 마음이 맞거나 일처리 방식이 마음에 드는 선생님과는 웃으며 가끔 신변잡기를 나누기도 했다. 물론 이때도 나의 평판과 업무 효율을 그다지 나쁘지 않았다. 업무를 잘 처리하지 못하시는 선생님들은 직접 찾아가 알려드리거나, 설명했음에도 못 처리하시는 분들의 업무는 그냥 내가 처리해 버렸기 때문이다. 이 정도만 해도 난 학교에서 능력 있는 교사, 친절한 교사라는 이야기를 들을 수 있었다. 그러나 이런 평판에도 불구하고 난 이상하게 힘들고 지쳐갔다.

요즘의 난 아무리 맡은 아이들이 힘들어도, 학부모님이 말도 안되는 요구들을 해 와서 맥이 빠져도, 관리자 분들이 부당하게 일처리를 해서 억울해도, 그 일에 대해 함께 이야기 나누고 함께 고민해 주고 함께 위로해 주는 동료 교사가 있다면 그 모든 일들이 해결되진 않더라도 별 것 아닌 것처럼 느껴지며 무사히 지나가진다는 걸 안다. 반대로 작은 일일지라도 교실 문을 닫고 고민하고 있으면 세상에 혼자 남겨진 듯한 절망감과 도저히 해결되지 않을 것 같은 무

력감만이 남는다는 것도 안다. 그래서 난 동료교사들에게 오늘도 말한다.

"선생님, 맛있는 간식 조금 가져왔어요. 우리 모여서 차 한 잔 해요~"

대부분 교사라는 직업을 선택한 선생님들은 모두 똑똑하고 모범적이며 스스로 문제를 잘 해결해 온 사람들이다. 그러나 내가 경험한 교직 생활을 돌아볼 때, 거의 대부분의 선생님들이 혼자서는 성공적인 교사 생활을 할 수 없다. 혼자 열심히 학생들을 지도하다가 본인의 생각만큼 성과가 나지 않아 실망하시는 선생님도, 지도에 반발하는 학생들과 학부모님들로 인해 좌절하시는 선생님도 주변에서 쉽게 볼 수 있다. 그리고 그 실망감과 좌절감은 경력과 상관이 없다. 일명 명퇴 도우미 학생 덕분에 천직이라 여겼던 교직을 그만 두고 학교를 떠나시는 선배님들도 많으시고, 조금이라도 젊을 때 다른 직업을 찾아보겠다며 학교를 떠나는 후배님들도 적지 않다. 그리고 너무 열심히 하다 모든 힘을 소진하고 병을 얻어 휴직하는 동료들도 참 많다.

　"빨리 가려면 혼자 가라. 그러나 멀리 가려면 함께 가라."라는 말처럼 혼자 열심히 하는 것도 좋지만 한 사람의 생각엔 한계가 있다고 생각한다. 나의 경우만 보더라도 혼자 애쓰고 고민할 땐 문제도 해결하지 못하고 나의 모든 힘을 소진해 병만 남았지만, 함께 고민하고 함께 생각하며 함께 해결책을 찾을 땐 좀 더 좋은 방법을 찾아낼 수 있었고 학교에 계속 머물 힘을 얻었던 것 같다.

　물론 "왜 선생님 반만 특이한 걸 하려고 해? 튀지 말고 동학년과 보조 맞춰." 라는 말로 힘이 빠지게 만드는 동료 교사도 있다. 이런 선생님을 첫 학교에서 만난 덕분에 난 우리 반 수업자료를 무조건 동학년 수 만큼 준비해서 나눠드리는 습관이 생겼다. 그럴 때마다 "아휴, 진도 나가기도 힘들어. 그만 줘. 우리 반은 이거 못해서 다 쓰레기가 돼" 라며 끝까지 타박하시는 선생님도 계셨지만 대부분의 선생님들께선 고맙다며 본인들의 자료나 노하우도 조심스레 알려주셨다.

교직은 일반 회사들과는 정말 다르다. 개개인의 성과가 쉽게 눈에 보이지도 않고, 또 눈에 보이는 기준들로 측정해서도 안 되며, 학교에 근무하는 우리 교사들은 서로를 이기고 올라가야만 하는 경쟁 상대들과 함께 근무하고 있지도 않다. 교육은 백년지대계라 하지 않는가? 미래 세대의 동량이 될 학생들을 키워내는 중요한 역할을 담당하고 있는 교사들이 협력하지 않고 본인의 지식과 경험에만 기대어 교육한다면 아무리 개인의 역량이 뛰어난 교사라 할지라도 그 교사에게서 배운 학생들이 주변 사람들과 함께 나누고 배우며 생활할 수 있을까? 난 그렇지 않다고 생각한다.

이러한 이유로 난 교사들이 각자의 교실에 독립적으로 존재하지만 같은 학년 또는 같은 관심사, 같은 취미를 가진 교사들끼리 자꾸 모이고 자꾸 자신의 생각을 나누는 연습을 해야 한다고 생각한다. 자꾸 네트워크를 형성하고 모임을 통해 서로에게 의미를 부여하고 힘이 되어 줄

우리 모여요!

때, 바다와 같은 학교에서 거센 파도와 깊은 물에 가라앉지 않고 자유로이 헤쳐 나갈 수 있지 않을까 기대한다.

"그 일에 대해 함께 이야기 나누고

함께 고민해 주고

함께 위로해 주는 동료 교사가 있다면

그 모든 일들이

해결되진 않더라도

별 것 아닌 것처럼 느껴지며

무사히 지나가진다는 걸 안다."

우리 모여요!

B

당신은 이 글의 저자인 동시에 독자입니다. 저자인 나와 독자인 나는 만날 때마다 새로운 이야기를 만들어 갑니다. 지금 이 글을 읽는 당신의 생각을 여기에 더해보세요. 그것은 내 손을 떠난 글에 새로운 생명과 생기를 불어넣는 일입니다.

우리 모여요!

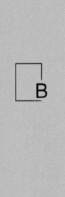

교사로서 우리의 이야기를
어떻게 써 내려갈까요?

우리를 둘러싼 환경을
고려하였을 때, 자신의 교육철학을
실현하기 위해 집중할 일 혹은
해결할 문제를 찾아봅니다.

나는 성장하는
교사이다

대화한 날_ 2023. 11. 15.

완성한 날_ 2023. 11. 28.

나는 성장하는 교사이다

나는 초등교사다. 경력이 꽤 쌓였고, 학교에서는 해마다 부장 역할과 어려운 업무, 기피 학년을 맡아 줄 것을 기대한다. 관리자로 승진할 생각이 1도 없지만, 이런 나를 보며 주변에서는 승진을 위해 그렇게 열심히 사는 거냐고, 적당히 하라고 오해도 참 많이 받는다. 그러나 정작 나는 교사로서 나 자신이 그렇게 열심히 살고 있다고 생각하지 않았다.

처음엔 학급 아이들도 한 눈에 들어오지 않았다.

경력이 차츰차츰 쌓이니 자연스레 학급 아이들 전체가, 그 다음엔 옆 반이, 그 다음엔 학년 전체가, 그 다음엔 학교 돌아가는 것이 눈에 들어오기 시작했다. 눈에 담기 시작하니 내가 할 수 있거나 도울 수 있는 일들이 보이기 시작했다. 보이기 시작하니 움직였다. 우리 반 친구들 중 특별한 도움이 필요하거나 부족한 점이 있는 친구들을 위해 움직였고, 옆 반과 동학년 선생님들의 고민을 들어주기 시작했고, 들어만 주는 것에서 시작해서 한 발 더 나아가 같이 해결책을 찾기 시작했다. 그리고 학교가 운영되는 데 꼭 필요하지만 아무도 맡으려 하지 않는 업무들을 맡기 시작했다. 절대 잘해서 시작한 일이 아니었다. 누군가는 해야 했고 내가 할 수 있었기 때문에 하기 시작했다. 그렇게 시작한 일들이 점차 하나 둘 늘어갔다.

난 사교적이거나 관계 지향적인 사람이 아니다. 오히려 낯을 가린다고나 할까? 요즘 유행하는 MBTI로 보면 난 극I인 사람이다. 다른 사람들과 이야기 나누거나 관계 맺는 것을 어려워하고 부담스러워 한다. 그래서일까? 교사를 잘해보겠다고 거금의 사비를 들여 거의 30년 전에 참여했던 성격 파악 연수에서 500여 분의 선생님 중 나만 연구자 성향이 나와, 연수를 진행하시던 선생님께서 나에게 진지하게 '혼자 연구실에서 연구하는 것을 좋아하는 성향이시니 아이들을 상대하는 교사와는 너무 맞지 않는다'며 '진로를 진지하게 고민하시고 다시 직업을 선택하시는 게 좋겠다'는 충고도 들었다. 기가 막혔다. 교사 잘 해보겠다고 간 연수에서 교사를 그만두라는 충고를 듣다니... 약이 올라서 교사를 더 잘 해내겠다는 다짐을 했다. 그 다짐 덕분인지 아니면 할 수 있는 일들을 하나씩 해 나갔기 때문인지, 아직까지 교사를 그만 두지도 않았고, 더 나아가 한 번의 휴직도 없이 근무하고 있다.

이런 성향 때문일까? 교사를 잘 해보려는 나의 오기 때문일까? 나는 많이 소진되고 아프기 시작했다. 그러나 아직도 내가 할 수 있는 일들이라 생각되면 그 일을 겁 없이 맡고, 그 일들을 많이 아프면서도 해내고 있다. 말 그대로 해

내고 있다. 전엔 즐겁게 그 일들을 감당하고 그 일들을 어떻게 하면 잘 해낼 수 있을까 고민했다면 요즘은 이런저런 고민이나 생각 없이 기한 내에 해내기만 한다. 물론 일을 해오던 실력이 남아 있어서인지 여전히 일정 수준 이상으로 일을 처리해 내고 있다. 이런 내 속내는 모른 채 다른 선생님들께서는 여전히 나를 일 잘하는 선생님, 열정적인 선생님, 학급 운영을 끝내주게 하는 선생님으로 판단한다. 그러나 내 속마음을 들여다보면 현재의 나는 내 기준에는 열심히 살고 있는 선생님이 아니다.

모순되게도 나 자신을 열심히 살고 있는 교사라고 판단하진 않지만 그렇다고 요즘의 이런 내 모습을 정체된 교사라 판단하진 않는다. 왜냐하면 내 엄격한 기준에 미치지 못할 뿐 난 여전히 교사로서의 나의 목표를 잊지 않고 있고, 우리 반 아이들을 가르치는 데 힘쓰고 있으며, 교사로서 성장하기 위해 노력하고 있기 때문이다.

교사 생활을 통해 내가 느낀 것이 있다면 무엇이

든 억지로 하는 것은 오래 가지 못한다는 것이다. 교사이든 학생들이든 본인이 하고 싶은 것을 할 때 재미있어하며 열심히 한다. 그래서 난 무슨 일을 하든 "자발성"을 가지고 하게끔 노력한다. 학교에서 업무 담당자나 부장으로서 일을 추진할 때도 일에 참여하는 구성원들이 자발적으로 참여하게 돕는 편이며, 교실에서 학급담임으로서 학급을 운영하거나 학생들을 가르칠 때도 내가 주도적으로 가르치기보다 학생들이 스스로 학습활동에 참여하게끔 유도한다. 학생들이 스스로 공부할 수 있도록 자료 찾는 법을 알려주고, 스스로 토의할 수 있도록 대화법을 알려주고, 안전하게 생활할 수 있도록 스스로 규칙을 세우게 한다.

처음부터 이러했던 것은 아니다. 교직을 처음 시작할 땐 학급에서도 학교에서도 내가 주도적으로 혼자 일을 처리해 버리는 경우가 많았다. 학급 게시판도 내가 다 만들고, 학년에서 사용하는 평가지도 내가 다 만들고, 학년 대표로 해야 하는 공개수업도 내가 해 버리고, 다들 하기 싫어하는 스카우트 대장도 내가 하고... 맡은 일들을 후딱 해치우니 주변에선 잘한다는 칭찬과 함께 또 다른 일을 나에게 주었고, 차츰차츰 일하는 것을 무서워하지 않는 내게 주어지는 일들이 많아지기 시작했다. 나중엔 내가 감당이 안 될 만큼 많은 일들이 내게 맡겨졌다. 그 결과, 나는 소진됐고 나의 건강은 망가졌다.

망가진 건강으로 인해 속이 상하고 힘들었다. 무슨 부귀영화를 보겠다고 이렇게까지 미련하게 일을 했나라는 생각도 들었다. 일을 잘하건 못하건, 일을 많이 하건 적게 하건 똑같은 월급을 받는데 똑똑하지 못하게 일을 했다는 주변의 핀잔도 들었다. 또 뭐든지 완벽하게 해내려는 내 성격이 문제라는 지적도 들었다. 억울했다. 이 모든 말들은 결국 내 건강을 망친 건, 지혜롭게 일하지 못하고 완벽주의자의 성격을 지닌 나 자신이라는 비난으로 들렸다. 맞는 말이다. 하지만 망가진 건강으로 인해 속상하고 뾰족해진 나는 주변의 위로도 다 비난으로만 들었고, 내 자신을 돌아볼 여유가 없었다.

나는 성장하는 교사이다

시간이 흐르니, 망가진 건강이 나에게 나쁜 영향만 주진 않았다는 걸 알게 됐다. 하나를 잃으면 얻는 것도 하나 있다는 어르신들의 말씀처럼 난 건강을 잃고 내 교직 생활을 돌아보게 되었다. 난 너무 열심히만 해서 소진되고 건강을 잃었지만 한편으론 내가 교사라는 직업을 얼마나 좋아하는지도 깨달았다. 그리고 좋아하는 교사 생활을 계속하려면 완급조절이 필요하다는 것을 알게 되었다. 늘 100%의 힘으로 전력 질주하던 것을 멈추고 나의 교육 철학을 생각해 보았다.

내가 교사로서 중요하게 생각하는 것은 "자발성"이다. 지금까지의 나는 주변 교사나 학급 아이들이 자발성을 가지고 스스로 문제를 해결하게 하기 보다는 내가 앞장서서 모든 문제를 해결하고 치우는데 열중해 왔다. 자발성을 끌어내기 위해서는 나를 조금 내려놓고 동료교사들이나 학생들에게도 기회를 주었어야 했는데 말이다.

깨달음을 실천하고 있는 요즘, 나는 주변 선생님들

로부터 좀 더 여유로워 보인다는 말을 듣고 있다. 우리 반 아이들은 내가 참 착하고 좋은 선생님이라고 말한다. 아이들이 한 것이 내 기준에 조금 못 미치고 못마땅해도 "참 열심히 했구나.", "와, 이런 생각을 어떻게 했어? 참 대단하구나.", "벌써 반이나 풀었구나. 굉장한데?" 라며 칭찬하니, "다 할 때까지 집에 못 가요. 열심히 하세요." 라고 말할 때보다 아이들이 훨씬 열심히 한다. 전부다 까만색으로 칠해 놓고는 "선생님, 나 참 색칠 잘하죠?"하며 자랑스러워 하는 아이, 귤이 급식에 나오면 무조건 내게 들고 와서 까 달라고 하더니 "선생님, 저 오늘 급식에 나온 귤껍질 혼자 까보려고 했어요. 다 까진 못했지만 요기 요만큼 깠어요."하며 아주 조금 까진 귤을 자랑스레 보여주는 아이, 거의 날아갈 듯 빠른 걸음으로 걸어가면서 "나 뛰고 싶은데 우리가 만든 우리 반의 규칙이 복도에서 뛰면 안 되는 거여서 빠른 걸음으로 걷고 있어요."하는 아이 등등… 예전 같으면 모조리 야단치고 호통쳤을 아이들에게 자꾸 귀여운 구석이 보여 웃음 짓게 된다. 내가 웃는 걸 보고 "선생님은 왜 맨날 웃어요? 우리가 그렇게 좋아요?" 하는 아이들에게 "응, 선생님은 너희들 보니까 참 좋아. 그래서 자꾸 웃게 되네." 라는 말을 한다. 처음에는 한 발 물러서서 지켜보며 필요할 때마다 방법을 설명하고 돕느라 답답하기만 했다. 그리고 차라리 내가 직접 해버리는 게 속 편하고 결과물도 더 잘 나오는 것 같다는 생각도 들었다. 그러나 요즘은 변한 모습의 내가 자랑스럽다. 그리고 10년 뒤의 나는 지금과 같지 않고 더 변화하며 성장할 것을 믿는다.

나는 초등교사다. 그것도 아이들과 함께 하루하루 성장하고 변화하는 교사이다. 승진하려는 거냐고 오해도 받을만큼 교직에 대해 진지하게 생각하고, 내 열심의 기준에는 못 미치지만 그만큼 더 여유를 가지고 기다릴 줄도 아는 교사이다. 나는 이렇게 변화하며 성장해 나가는 내가, 그리고 나와 함께 하는 우리 반 학생들이 자랑스럽고 사랑스럽다.

"좋아하는 교사 생활을 계속하려면
완급조절이 필요하다는 것을
알게 되었다.
늘 100%의 힘으로
전력 질주하던 것을 멈추고
나의 교육 철학을 생각해 보았다."

나는 성장하는 교사이다

B

당신은 이 글의 저자인 동시에 독자입니다. 저자인 나와 독자인 나는 만날 때마다 새로운 이야기를 만들어 갑니다. 지금 이 글을 읽는 당신의 생각을 여기에 더해보세요. 그것은 내 손을 떠난 글에 새로운 생명과 생기를 불어넣는 일입니다.

나는 성장하는 교사이다

B

초등교사ING

저자_ 끄릉샘
발행_ 2023. 12. 25.

펴낸이_ 이상수
펴낸곳_ beside books
출판사등록_ 제561-2022-000043호(2022. 5. 17.)
주소_ 경기도 수원시 영통구 영통로200번길 21
전화_ 010-2853-2423
인스타그램_ instagram.com/beside.books
편집 / 디자인_ 서현지 이경준 정휘범

ISBN_ 979-11-92865-21-8

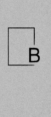
B